꼬리를 돌려 주세요

꼬리를 돌려 주세요

노니 호그로지안 그림 / 글 · 홍수아 옮김

시공주니어

노니 호그로지안(1932~)은 그림책 부문에서 최고의 권위를 자랑하는 칼데콧 상을 두 번이나 받은 작가이다. 뉴욕에서 태어난 노니는 그림에 조예가 깊은 가족들의 영향으로, 예술적인 표현을 즐기는 분위기에서 어린 시절을 보냈다. 아르메니아계 부모로부터 민족적 색채가 강한 옛이야기와 시를 듣고 자란 것이 작품들에 반영되어 있다. 글자 없는 그림책, 옛이야기를 재구성한 그림책 등, 다양한 작품에서 뛰어난 실력을 보여 주고 있다.

홍수아는 명지대학교 문예창작학과와 이화여자대학교 영어영문학과 대학원을 졸업했다. 지금은 번역 공부에 몰두하고 있다.

꼬리를 돌려 주세요

초판 제1쇄 발행일 2001년 12월 20일
초판 제47쇄 발행일 2012년 4월 30일
지은이 노니 호그로지안 옮긴이 홍수아
발행인 전재국 발행처 (주)시공사 주소 137-879 서울시 서초구 서초동 1628-1
전화 영업 2046-2800 편집 2046-2825~8 인터넷 홈페이지 www.sigongjunior.com

ONE FINE DAY
Copyright ⓒ 1971 by Nonny Hogrogian
All rights reserved.
Koean translation copyright ⓒ 2001 by sigongsa Co., Ltd.
This Korean edition was published by arrangement with
Simon & Schuster Books For Young Readers,
an imprint of Simon & Schuster Children's Publishing Division,
New York through KCC, Seoul.

이 책의 한국어판 저작권은 KCC를 통해
Simon & Schuster Books For Young Readers와 독점 계약한 (주)시공사에 있습니다.
저작권법에 의해 한국 내에서 보호받는 저작물이므로, 무단 전재와 무단 복제를 금합니다.

ISBN 978-89-527-2336-9 77840

*시공주니어 홈페이지 회원으로 가입하시면 다양한 혜택이 주어집니다.
*잘못 만들어진 책은 구입하신 서점에서 바꾸어 드립니다.

리자와 재키에게

화창한 어느 날,

여우 한 마리가 큰 숲 속을 거닐고 있었습니다.

숲 맞은편에 다다랐을 때, 여우는 몹시 목이 말랐습니다.

여우는 커다란 우유통을 보았습니다.
한 할머니가 땔감을 모으는 동안 내려놓은 것이었어요.
여우는 할머니 몰래 우유를 다 마셔 버렸습니다.

할머니는 잔뜩 화가 나서 여우의 꼬리를 싹둑 잘라 버렸습니다.
여우는 훌쩍훌쩍 울기 시작했습니다.

"부탁이에요, 할머니. 제 꼬리를 돌려 주세요.
꼬리가 없으면 친구들이 저를 놀릴 거예요."

할머니가 말했습니다. "내 우유를 다시 가져오너라.
그러면 꼬리를 돌려 주마."

그래서 여우는 눈물을 닦고 암소를 찾아갔습니다.

"친절한 암소님, 저한테 우유를 조금만 주세요.
할머니께 우유를 가져다 드려야 제 꼬리를 돌려받을 수 있답니다."

암소가 말했습니다. "내가 먹을 풀을 좀 가지고 오면 우유를 주마."

여우는 들판으로 가서 도움을 청했습니다. "아름다운 들판님,
저한테 풀을 좀 나누어 주세요. 전 풀을 암소님께 가져다 드리고,
우유를 얻어서 할머니께 드려야 해요. 그래야 할머니께서
제 꼬리를 돌려 주실 거고, 전 친구들에게 돌아갈 수 있답니다."

들판이 말했습니다. "그렇다면 나한테 물을 좀 길어다 주렴."

여우는 시냇가로 달려가 물을 좀 달라고 졸랐습니다.
그러자 시냇물이 말했습니다. "항아리를 가져와야지."

그때 마침 여우는 항아리를 들고 있는 아가씨를 만났습니다. "사랑스런 아가씨,
제게 그 항아리를 주시면 안 될까요? 저는 항아리로 물을 길어다 들판님께 드리고,
들판님께 풀을 얻어다 암소님께 드리고, 암소님께 우유를 얻어다 할머니께 드려야 해요.
그래야 제 꼬리를 되찾아 친구들에게 돌아갈 수 있답니다."

아가씨는 방긋 웃으며 말했습니다. "파란 유리구슬을 구해 오면 항아리를 줄게."

여우는 보따리장수를 발견하고는 말을 걸었습니다.

"저 길 아래쪽에 예쁜 아가씨가 있는데요, 제가 파란 유리구슬을 하나 가져가면

정말 좋아할 거예요. 그러면 아가씨는 저한테 항아리를 줄 거고,

저는 항아리로 물을 길어다 들판님께 드리고, 들판님께 풀을 얻어다 암소님께 드리고,

암소님께 우유를 얻어다 할머니께 드리고, 제 꼬리를 되찾을 수 있답니다."

그러나 보따리장수 역시 거저 구슬을 내줄 리는 없었습니다.

보따리장수는 말했습니다. "내게 달걀을 하나 가져오렴.

그러면 구슬을 하나 주마."

여우는 다시 길을 가다가 암탉을 만났습니다.

"암탉님, 마음 좋은 암탉님, 제발 달걀 하나만 주세요. 저는 달걀을 유리구슬과 바꾸고,
유리구슬과 항아리를 바꾸고, 항아리로 물을 길어다 들판님께 드리고,
들판님께 풀을 얻어다 암소님께 드리고, 암소님께 우유를 얻어다 할머니께 드려야 해요.
그래야 제 꼬리를 되찾을 수 있답니다."

암탉이 말했습니다. "나에게 곡식을 좀 갖다 주면 달걀을 하나 주지."

여우는 몹시 지쳐서, 방앗간 주인을 만났을 때는 울먹이기까지 했습니다.

"아, 너그러우신 방앗간 주인님! 제게 곡식을 조금만 주세요. 전 그걸 암탉님께 드려
달걀을 얻고, 달걀과 유리구슬을 바꾸고, 유리구슬과 항아리를 바꾸고,
항아리로 물을 길어다 들판님께 드리고, 들판님께 풀을 얻어다 암소님께 드리고,
암소님께 우유를 얻어다 할머니께 드려서 제 꼬리를 다시 붙여 놓아야 한답니다.
그렇지 않으면 제 친구들은 저와 놀아 주지 않을 거예요."

마음씨가 좋은 방앗간 주인은 여우를 가엾게 여겼습니다.
그래서 여우에게 곡식을 조금 주었습니다. 여우는 곡식을 가지고
암탉에게 가서 달걀과 바꾸고, 보따리장수에게 가서 구슬과 바꾸고,

아가씨에게 가서 항아리와 바꾸고, 물을 길어다 풀을 얻어서,
암소에게 가서 우유를 얻었습니다. 꼬리와 바꿀 우유 말이에요.

여우는 마침내 할머니께 우유를 드렸습니다. 그러자 할머니는
정성스레 여우의 꼬리를 제지리에 달이 주셨고,

여우는 신이 나서 숲 저편 친구들에게로 달려갔답니다.